Dans l'espace

La Terre et la planète Mars

Rosalind Mist

Texte français d'Audrey Harvey

Éditions SCHOLASTIC

Conception graphique :
Melissa Alaverdy
Experts en éducation :
Heather Adamson et
Jillian Harker

Publié initialement
au Royaume-Uni
par QED Publishing.

Édition publiée par les Éditions Scholastic, 604, rue King Ouest, Toronto (Ontario) M5V 1E1 avec la permission de QED Publishing.

Références photographiques :
Légende : h = en haut; b = en bas; g = à gauche; d = à droite; c = au centre; pc = page de couverture
Corbis Dennis Scott 1b, 16, 19h, NASA 21h, Reuters 21b
NASA pc, JPL/Cornell, University 2-3, Goddard Space flight center Scientific Visualization Studio et Virginia Butcher (SSAI)18-19, JPL-Caltech 22-23, JPL/ Cornell University 23h, European Space Agency 24
Shutterstock Paul Prescott 1h, 4-5c, happydancing 4-5, Antony McAuley 6-7, 7d, Ali Ender Birer 8g, Ank Van Wyk 9h, Tjeffersion 10-11, Lukiyanova Natalia/ frenta 11, Valerie Potapova 12-13, 14-15, Igor Kovalchuck, 16-17, 17h, Spectral Design 20-21.

Les mots en **caractères gras** figurent dans le glossaire de la page 24.

Catalogage avant publication de Bibliothèque et Archives Canada

Mist, Rosalind
[Earth and Mars. Français]
La Terre et la planète Mars / auteure, Rosalind Mist ; graphiste, Melissa Alaverdy ; traductrice, Audrey Harvey.

(Dans l'espace)
Traduction de: Earth and Mars.
ISBN 978-1-4431-3264-0 (broché)

1. Terre--Ouvrages pour la jeunesse. 2. Mars (Planète)--Ouvrages pour la jeunesse. I. Alaverdy, Melissa, illustrateur II. Titre. III. Titre: Earth and Mars. Français.

QB631.4.M57314 2014 j523.43 C2013-904431-0

5 4 3 2 1 Imprimé en Chine CP141 14 15 16 17 18

Table des matières

La planète Terre

La Terre est la planète sur laquelle nous vivons. C'est la troisième planète à partir du Soleil. Elle se trouve entre Mars et Vénus.

Vue depuis l'espace, la Terre ressemble à une bille bleue, blanche et verte.

Le Système solaire

Le **système solaire** est immense. Il y a huit planètes dans le système solaire. Elles tournent toutes autour du Soleil.

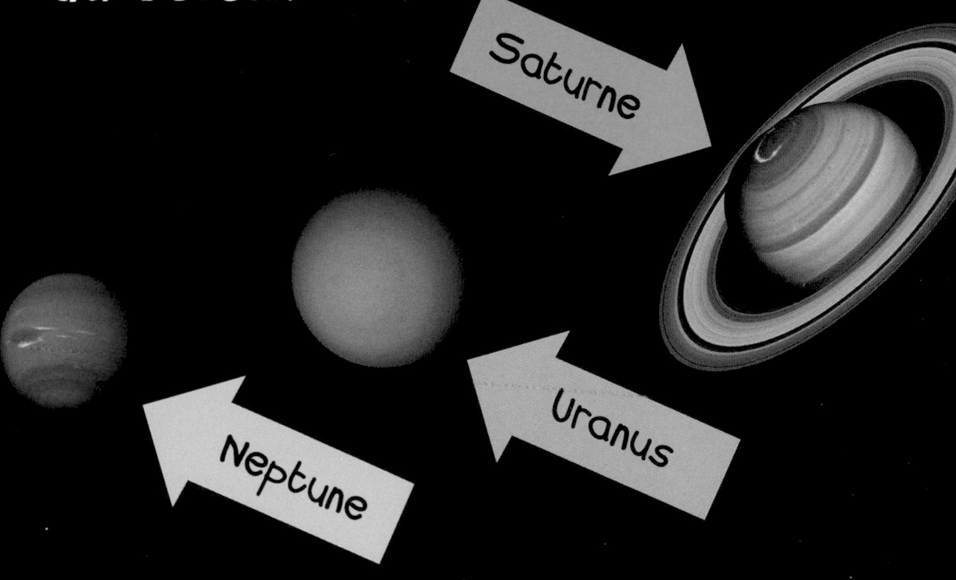

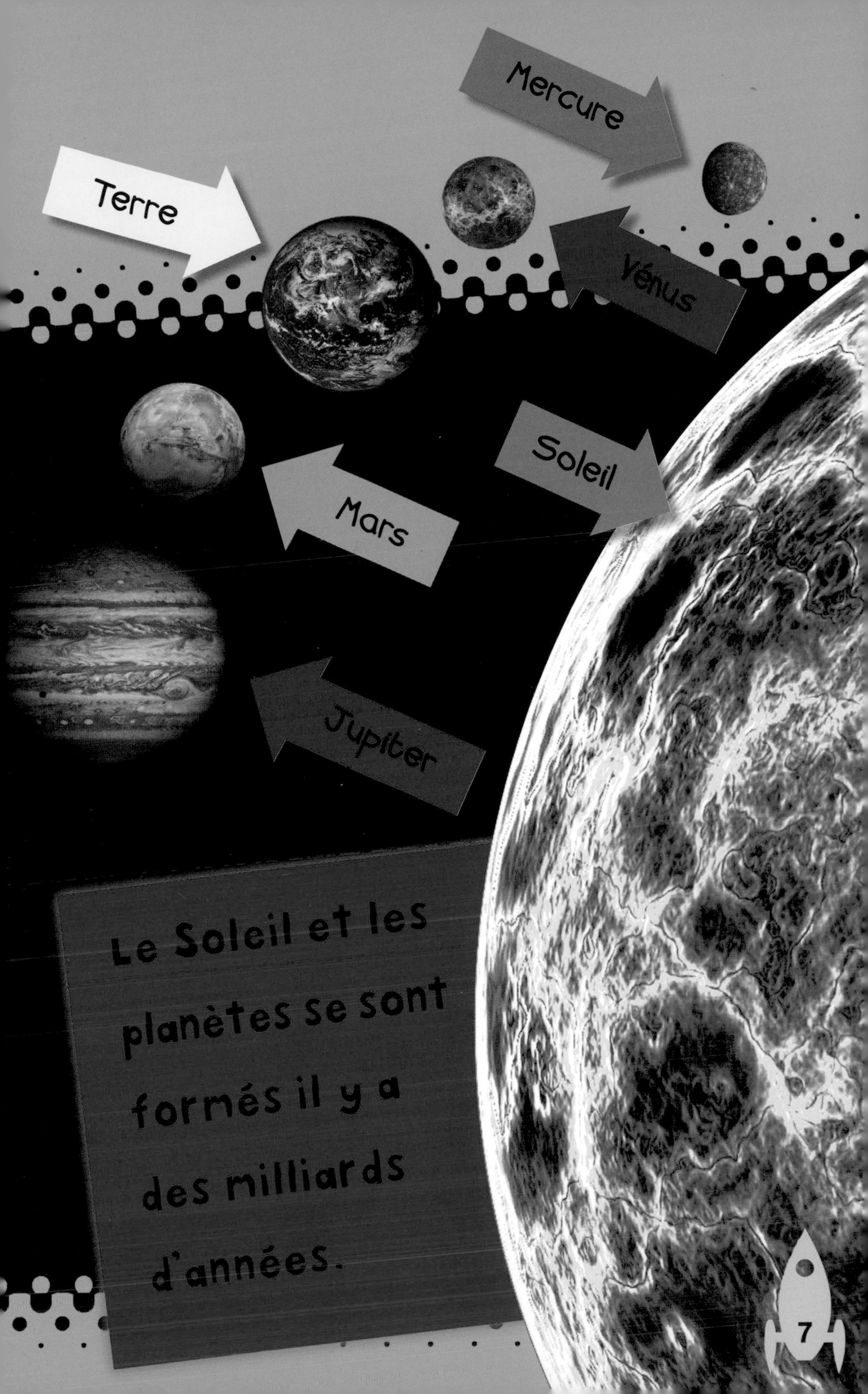

Le Soleil et les planètes se sont formés il y a des milliards d'années.

L'atmosphère

Une fine couche d'air entoure notre planète. C'est **l'atmosphère.** Elle rend la vie possible sur Terre.

L'atmosphère garde la Terre au chaud et permet aux humains, aux animaux et aux plantes de respirer.

Au centre de la Terre

La Terre est formée de quatre couches différentes.

Nous vivons sur la couche supérieure : la **croûte terrestre**.

croûte terrestre

manteau

noyau extérieur

noyau intérieur

Le jour et la nuit

La Terre tourne
sur elle-même.
Le Soleil éclaire
un côté de la
Terre à la fois.

nuit

De ce côté, il fait jour.
Du côté qui n'est pas
éclairé, il fait nuit.

Les Saisons

Il faut une année complète pour que la Terre fasse le tour du Soleil. La Terre est inclinée.

Selon les périodes de l'année, les rayons du Soleil éclairent plus directement différents endroits de la Terre. C'est pourquoi nous avons des saisons.

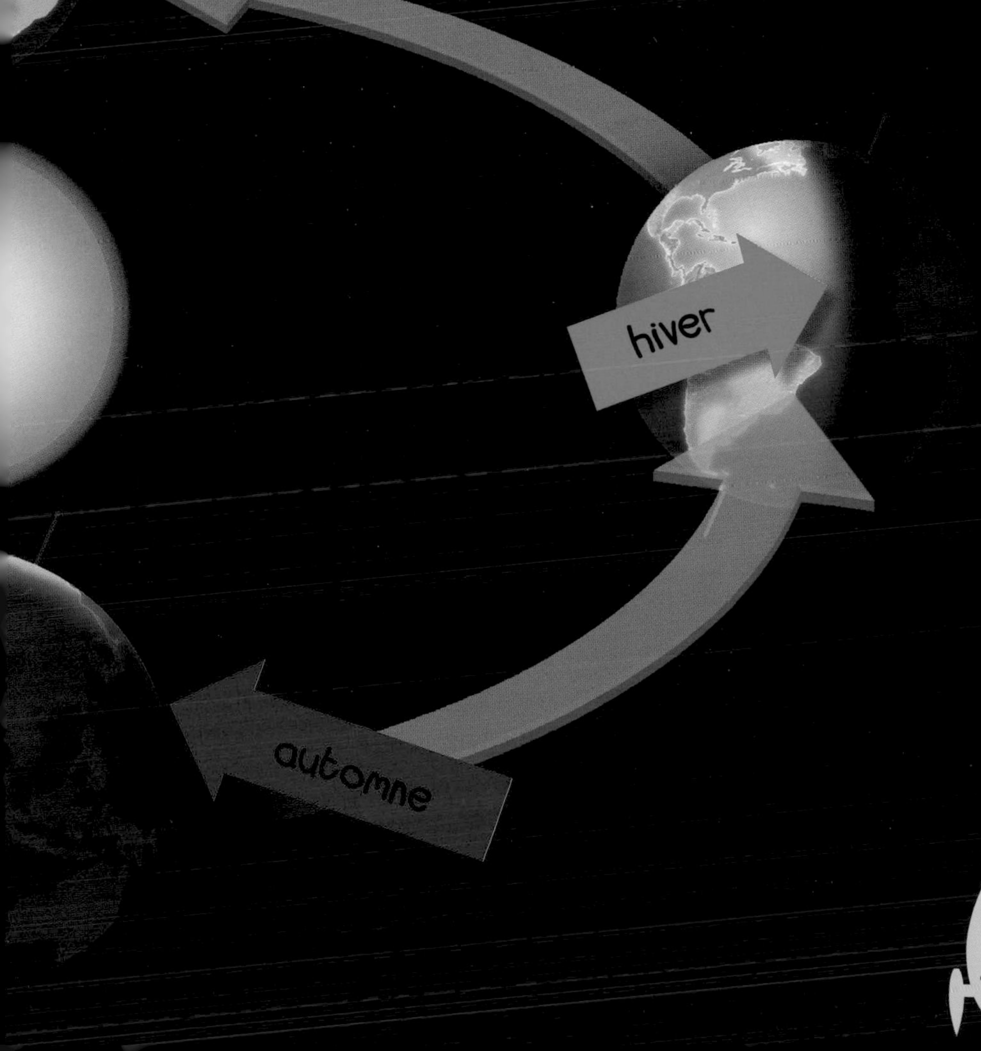

Mars

Mars est la quatrième planète à partir du Soleil. Elle se trouve entre la Terre et Jupiter. Mars est deux fois plus petite que la Terre.

C'est le sol rouge de la planète Mars qui lui donne sa couleur.

Le plus gros volcan

Sur Mars il y a un volcan qui s'appelle Mont Olympe. C'est le plus gros volcan du système solaire.

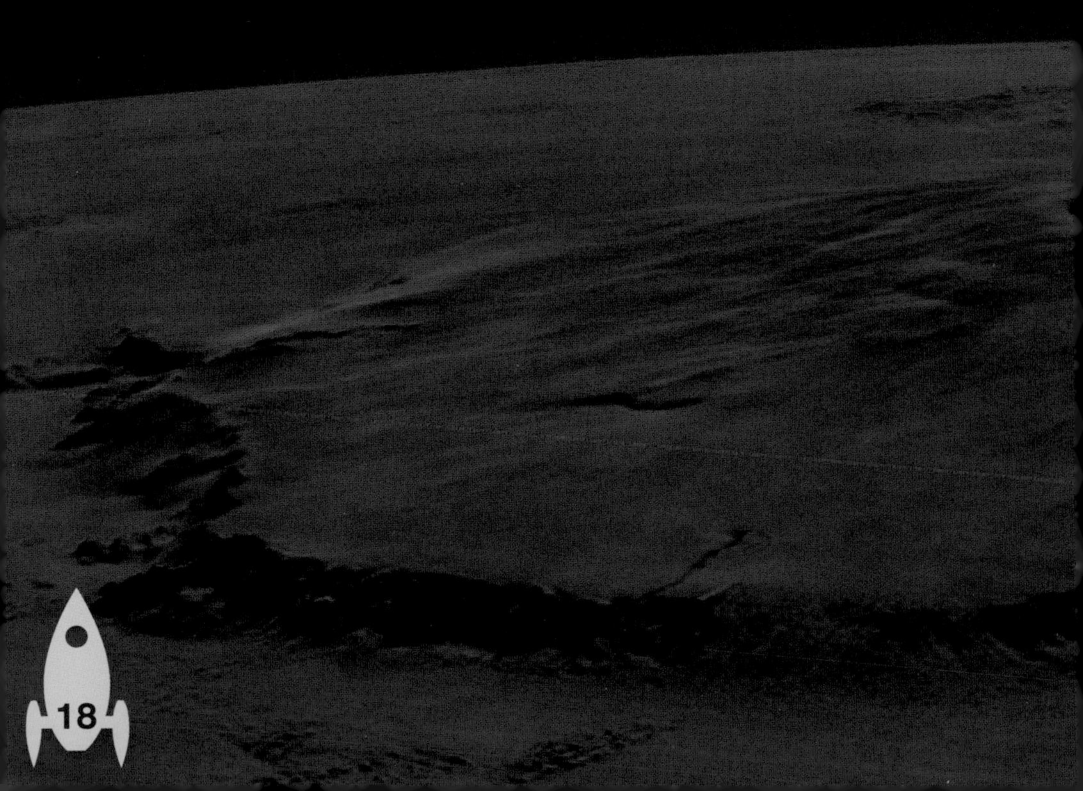

Mars

La planète aux mille tempêtes

Les vents peuvent être très forts sur Mars. Parfois, la planète ressemble à une grosse **tempête de poussière**.

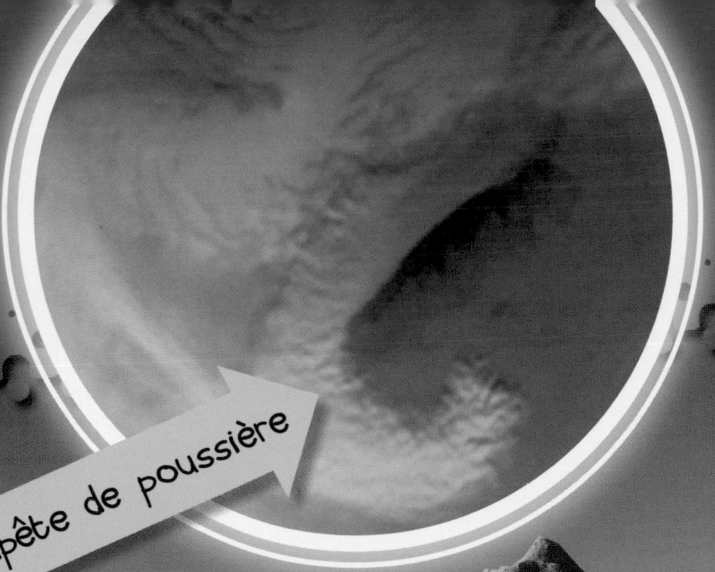

tempête de poussière

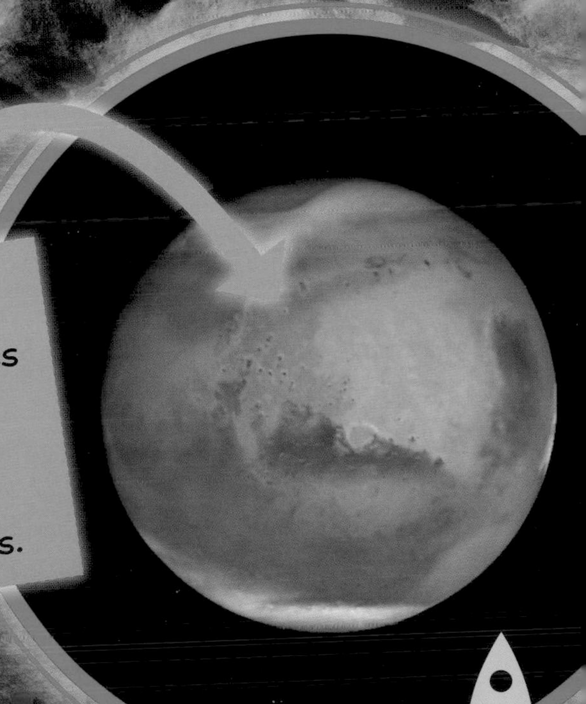

Les parties rouges sur Mars sont des tempêtes de poussière. Les parties sombres sont des régions rocheuses.

Les rovers

Les **rovers** sont des sortes de robots. Ils sont envoyés sur Mars pour explorer la planète.

Les scientifiques qui sont sur la Terre peuvent téléguider les rovers sur Mars.

appareil photo
Les rovers peuvent
gravir des côtes et
prendre des photos.

Glossaire

atmosphère : gaz qui entourent une planète

croûte terrestre : couche solide qui recouvre la surface de la Terre

manteau : couche terrestre située entre le noyau et la croûte

noyau : partie très chaude qui se trouve à l'intérieur de la Terre

planète : un des huit gros astres qui tournent autour du Soleil

rover : véhicule téléguidé qui sert à explorer une autre planète

sol : couche de poussière et de terre à la surface d'une planète

système solaire : le Soleil ainsi que tout ce qui tourne autour de lui

tempête de poussière : vents forts qui forment des nuages de poussière et les déplacent

volcan : montagne qui entre parfois en éruption et rejette de la lave, des cendres et des gaz très chauds